Blodau

@ebol

Blodau

Cynnwys

Y fersiwn Saesneg
Cyhoeddwyd gan © Blake Publishing, 655 Parramatta Road, Leichhardt, NSW 2040, Awstralia.
Cedwir y cyfan o'r hawliau.
Ysgrifennwyd gan Paul McEvoy
Ymgynghorydd Gwyddoniaeth: Dr Will Edwards, Ysgol Bioleg Drofannol,
Prifysgol James Cook
Dylunio a gosod gan The Modern Art Production Group
Lluniau gan Photodisc, Stockbyte, John Foxx, Corbis, Imagin, Artville a Corel
Hawlfraint © Blake Publishing

Y fersiwn Cymraeg

Hawlfraint © Atebol 2007

Noddwyd gan Lywodraeth Cynulliad Cymru

ISBN 1-905255-61-6

Addasiad Cymraeg gan Glyn a Gill Saunders Jones
Dyluniwyd gan: stiwdio@ceri-talybont.com
Aelodau'r Pwyllgor Monitro:
Helen Lloyd Davies, Ysgol Penrhyn-coch, Aberystwyth
Gwenda Francis, Ysgol Melin Gruffydd, Caerdydd
Nia Jones, AADG
Argraffwyd gan: Gwasg Gomer, Llandysul

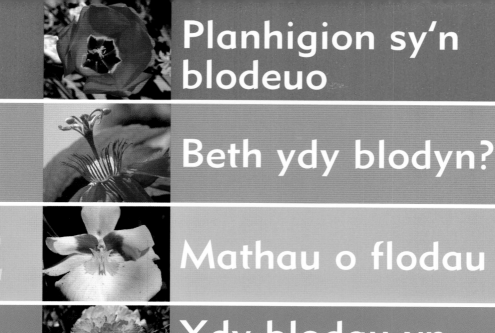
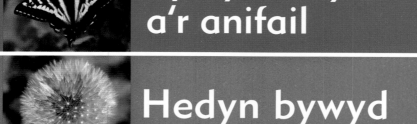

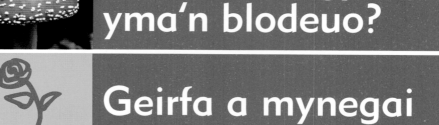

Mae hadau gan blanhigion sy'n blodeuo. Planhigion sy'n blodeuo ydy'r dosbarth mwyaf o blanhigion.

Mae gan nifer o blanhigion sy'n tyfu mewn gardd neu barc flodau mawr a lliwgar. Mae'r blodau ar blanhigion eraill, fel mathau gwahanol o laswellt, yn fach ac yn anodd i'w gweld.

rhosyn

Mae blodau gan y rhan fwyaf o blanhigion er mwyn creu hadau. Mae blodau gan rhai mathau o laswellt, llwyni a gwinwydd. Mae'r rhan fwyaf o goed, heblaw coed conwydd, yn blodeuo. Mae hyd yn oed y cactws a lili'r dŵr yn blodeuo.

Mae trychfilod ac adar yn cael eu denu at y blodau lliwgar. Maen nhw'n bwydo ar y **neithdar** sydd y tu mewn i'r blodau.

Mae lili'r dŵr yn tyfu mewn llynnoedd a phyllau dŵr.

hododendron

Wisteria - gwinwydd sy'n blodeuo.

ffeithIAU!

Y TALAF!

Y goeden dalaf sy'n blodeuo yn y byd ydy criafolen sy'n tyfu yn Awstralia. Mae'r goeden yma yn gallu tyfu hyd at 92 metr o uchder.

5

Beth ydy blodyn?

Mae blodau yn creu hadau. Mae hadau yn creu planhigion newydd. Mae pwrpas arbennig i bob rhan o'r blodyn.

Y rhan gyntaf o'r blodyn y byddwn ni'n sylwi arno ydy'r petalau. Ran amlaf, mae'r petalau yn lliwgar ac yn arogli'n hyfryd iawn. Mae lliw llachar y petalau yn denu trychfilod ac adar.

Mae celloedd wyau yng nghanol y blodyn - yr **ofwlau**. Mae'r wyau neu'r ofwlau yma i'w gweld yn yr **ofari** yng ngwaelod y blodyn. O'r ofari mae coesyn hir a thal yn tyfu – y **colofnig** *(style)*. Mae'r **stigma** i'w weld ar ben y colofnig. Mae'r stigma yn ludiog fel y bydd paill o flodau eraill yn glynu wrtho.

O gwmpas y stigma mae'r **briger** *(stamen)*. Mae cylch o'r briger yma o amgylch y stigma. Mae pob briger yn dal poced o baill - yr **anther**. Mae pob anther yn cynhyrchu miloedd o ronynnau bach o baill. Melyn ydy lliw y paill fel arfer. Bydd trychfilod, adar a'r gwynt yn symud y paill o un blodyn i'r llall.

Y Pabi – mae'r pabi yma yn tyfu yn California

6

anther

stigma

colofnig

briger

petal

ofari

coesyn

Mae gan bob blodyn betalau, stigma a briger.
Mae pob rhan o'r blodyn yn bwysig.

Rhannau o'r blodyn

Allwch chi weld y rhannau gwahanol o'r blodyn?

Allwch chi ddod o hyd i rannau gwahanol o'r blodyn?
- y petalau
- y colofnig yn y canol
- y stigma gludiog
- y briger mewn cylch
- yr anther – pocedi paill.

Ydych chi'n gwybod sut mae paill yn symud o un blodyn i'r llall i gyrraedd yr ofwl?

lili

y pabi

8

pelargoniwm

lili

blodyn y
dioddefaint

hibisgws

blodyn y
dioddefaint

9

O'r blodyn i'r ffrwyth

Mae hadau a ffrwythau yn tyfu o flodau. Mae'n rhaid i bob blodyn gael ei beillio cyn y gall y blodyn greu ffrwythau a hadau.

1 Mae blodau yn dechrau fel blagur tynn. Dyma flodau'r goeden afal.

2 Mae'r blagur yn agor. Bydd gwenyn neu drychfilod eraill yn cario paill o un blodyn i'r llall. Yr enw ar hyn ydy **peillio**. Ar ôl peillio mae gronyn bach o baill yn ffrwythloni un ofwl. Bydd pob ofwl sydd wedi'i beillio yn creu hedyn.

3 Mae'r petalau yn disgyn o'r blodyn. Mae'r afal yn dechrau tyfu.

4 Mae pob afal yn cynnwys hadau. Mae'r hadau yma yn creu planhigion newydd.

Mathau o flodau

Mae blodau o bob siâp, lliw a maint i'w gweld. Maen nhw'n amrywio rhwng blodau glaswellt bychain hyd at flodau mawr y trofannau.

Ran amlaf, mae blodau cyffredin neu reolaidd gyda phetalau o'r un maint. Er enghraifft, mae'r rhosyn gwyllt a'r blodyn menyn yn flodau rheolaidd. Mae gan flodau sydd heb fod yn rheolaidd betalau o wahanol siâp a maint. Er enghraifft, mae gan y tegeirian *(orchid)* a'r trwyn llo *(snapdragon)* betalau sydd heb fod yr un siâp a maint.

Mae canol llygad y dydd a blodyn yr haul yn fawr. Mae'r prif flodyn wedi'i ffurfio o sawl blodyn bach. Mae pob un o'r blodau bach yma yn ffurfio hedyn.

blodau menyn

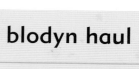
blodyn haul

Y tegeirian ydy un o'r blodau mwyaf **cymhleth** o'r holl flodau. Mae gan ambell un le i'r trychfil lanio arno! Bydd pen y trychfil yn cael ei orchuddio â phaill pan fydd yn yfed y neithdar o'r tegeirian.

tegeirian

blodau gwenith

Planhigion sy'n blodeuo ydy glaswellt. Mae gwenith, reis, bambŵ a grawnfwydydd eraill i gyd yn fathau o laswellt. Mae ganddyn nhw flodau bach iawn sy'n anodd eu gweld. Gwynt sy'n peillio'r blodau bach yma.

13

Ydy blodau yn yfed dŵr?

Gallwch weld os ydy blodau yn yfed dŵr drwy wneud arbrawf syml.

Mae angen:

- blodau gwyn – dewis da ydy'r penigan (*carnation*)
- lliwiau sy'n lliwio bwyd
- gwydryn tal
- dŵr

Y camau nesaf:

1 Rhowch y lliw bwyd a'r dŵr yn y gwydryn tal.

2 Torrwch y coesyn.

3 Rhowch y blodyn yn y gwydryn.
Gadewch y blodyn yn y dŵr am rai oriau.

Arbrawf arall

Torrwch i lawr canol y coesyn. Rhowch un rhan o'r coesyn mewn dŵr sy'n cynnwys lliw arbennig. Rhowch yr hanner arall mewn dŵr sy'n cynnwys lliw gwahanol.

liw glas

lliw coch a glas

liw coch

lliw melyn

15

Mae nifer o anifeiliaid yn bwydo ar neithdar o'r blodau. Dyma sut mae anifeiliaid yn cario paill o un blodyn i'r llall.

Mae llawer o drychfilod yn bwydo ar flodau. Mae gan flodau liw ac arogl arbennig i ddenu trychfilod. Mae'r trychfilod yn bwydo ar y neithdar a thrwy hynny yn cario'r paill o un blodyn i'r llall. Yr enw ar hyn ydy peillio. Dyma sut mae'r blodyn yn cael ei ffrwythloni. Wedi i'r blodyn gael ei beillio mae hadau yn ffurfio.

Mae adar, ystlumod a hyd yn oed ambell i fadfall yn cael eu denu at flodau. Mae'r anifeiliaid yma yn hoffi blodau sydd â neithdar. Mae'n bartneriaeth dda - mae'r blodyn yn bwydo'r anifeiliaid ac mae'r anifeiliaid yn cario'r neithdar o un blodyn i'r llall.

Aderyn y si yn bwydo ar neithdar.

Glöyn byw yn bwydo ar flodyn yr ysgall.

Gwenynen yn casglu paill a neithdar.

17

Hedyn bywyd

Weithiau, dydy'r tir o gwmpas y planhigyn ddim yn cael digon o haul i'r hadau dyfu yn iawn. Dro arall, mae'r hadau yn cael eu cario gan y gwynt, y dŵr neu anifeiliaid i dyfu mewn lle newydd.

Mae sawl hedyn yn llwyddo i ddal awel y gwynt. Er enghraifft, mae hadau dant y llew fel parasiwt. Mae'r hadau yma yn cael eu cario gan y gwynt. Mae hadau coed masarn yn debyg i adenydd hofrennydd sydd eto'n gwasgaru'r hadau.

cneuen goco

Mae rhai hadau yn arnofio. Gall y glaw, yr afonydd neu hyd yn oed y môr gario'r rhain i'w cartref newydd. Mae cnau coco yn gallu teithio'n bell iawn ar draws y môr cyn cyrraedd tir.

Mae rhai hadau wedi'u lapio mewn ffrwyth blasus sy'n denu'r anifeiliaid i'w cario. Bydd mamaliaid ac adar yn bwyta ffrwythau cyn poeri'r hadau allan eto. Hyd yn oed os ydy'r anifail yn bwyta'r hadau mae'r hadau yn tyfu o wastraff yr anifail ar y tir.

Mae barf yr hen ŵr yn flewog.
Mae'r gwynt yn cario'r hadau.

Mwnci yn chwilio am ffrwythau
yn y goedwig.

ant y llew

Hadau dant y llew yn
dal awel y gwynt.

ffeithIAU!

Y MWYAF!
Mae sach hadau'r tegeirian yn
dal hyd at 20,000 o hadau!

19

Cynefin

Mae pob planhigyn yn byw mewn cynefin neu ardal arbennig. Mae planhigion sy'n blodeuo yn gallu byw mewn sawl cynefin gwahanol yn y byd. Mae'r goedwig law, y diffeithdir sych a'r mynydd-dir oer i gyd yn gynefin i blanhigion sy'n blodeuo.

Mae'r goedwig law yn derbyn digon o law a chynhesrwydd o'r haul i blanhigion dyfu. Mae planhigion sy'n blodeuo yn y goedwig law yn cynnwys coed gwinwydd a phlanhigion **trofannol** trawiadol.

Mae'r diffeithdir yn gynefin poeth a sych sy'n brin o ddŵr. Mae'n rhaid i'r planhigion storio dŵr ac aros am y gawod nesaf. Mae gan y cactws goesynnau trwchus sy'n dal dŵr am amser hir. Mae gan y cactws hefyd bigau miniog i'w gadw yn ddiogel rhag anifeiliaid.

Mae rhai ardaloedd fel ardaloedd **alpaidd** yn cael gaeafau hir ac oer, hafau byr poeth a gwyntoedd cryf. Os ydy'r ddaear wedi rhewi dydy'r planhigion ddim yn tyfu. Mae'r hafau byr yn golygu bod yn rhaid i'r planhigyn dyfu, blodeuo a hadu mewn amser byr iawn. Dydy planhigion ddim yn tyfu'n uchel mewn ardal sy'n cael gwyntoedd cryf.

Heliconias - mae'r blodyn anarferol hwn yn tyfu yn y goedwig law.

Mae'r cactws yn tyfu yn y diffeithdir.

Carped o flodau alpaidd yn y gwanwyn a'r haf.

21

Ydy

Nac ydy

Geirfa

alpaidd	dôl neu faes yn uchel yn y mynyddoedd lle dydy coed ddim yn tyfu
anther	rhan o'r briger sy'n cynhyrchu paill
briger	rhan wryw blodyn, sy'n debyg i flew mân ac sy'n cynhyrchu'r paill
cymhleth	llawer o ddarnau gwahanol
neithdar	yr hylif melys sy'n cael ei gasglu o flodau gan wenyn
ofari	y rhan lle mae'r ofwlau yn cael eu storio ac sy'n cynhyrchu'r hadau neu'r ffrwyth
ofwl	cell wy mewn blodyn
paill	llwch mân, melyn sydd i'w gael ar y briger neu rannau gwryw blodau
peillio	galluogi planhigyn i gynhyrchu hadau trwy dderbyn paill
stigma	rhan ganol y blodyn sy'n derbyn paill
trofannau	y rhannau hynny o'r byd sydd rhwng Trofan Cancr a Throfan Capricorn

Mynegai